LECTURES CLE EN FRANÇAIS FACILE

# PAUL ET VIRGINIE

BERNARDIN DE SAINT-PIERRE

Adapté en français facile
par Elyette Roussel

JACQUES HENRI BERNARDIN DE SAINT-PIERRE naît au Havre le 10 janvier 1737, dans une famille bourgeoise.

Entre 1768 et 1770, il fait un long séjour dans l'île de France (aujourd'hui île Maurice) et, à son retour, il se lie d'amitié avec Jean-Jacques Rousseau. Il devient son disciple[1] et partage avec lui son amour de la nature et de la solitude.

Dans ses premières œuvres (*Voyage à l'Isle de France,* 1773 et *Études de la nature,* 1784), qui le rendent célèbre, il nous dit sa nostalgie d'un paradis perdu. Son succès grandit encore avec la publication de *Paul et Virginie*, en 1787.

En 1803, il devient membre de l'Académie française[2] et, en 1806, il reçoit la Légion d'honneur[3].

Il meurt le 21 janvier 1814 à Éragny-sur-Oise.

***

1. Disciple : personne qui suit l'exemple de quelqu'un et qui pense de la même façon.
2. Académie française : fondée en 1635 par Richelieu, cette société réunit quarante écrivains, savants et artistes français.
3. Légion d'honneur : médaille donnée comme récompense à une personne. Elle a été créée en 1802 par Napoléon Bonaparte.

Au XVIIIe siècle, à l'époque où Bernardin de Saint-Pierre écrit ce roman, l'esclavage* est encore une réalité dans les colonies* françaises.

Les esclaves* sont achetés, vendus et utilisés selon la volonté de leur maître qui les possède comme on possède un objet.

Dans *Paul et Virginie*, Bernardin de Saint-Pierre nous présente deux réalités de la vie des esclaves : à travers l'épisode de l'esclave marronne*, il dénonce les mauvais traitements et la vie inhumaine des esclaves soumis à un maître méchant ; et avec l'exemple de Domingue et Marie, il nous montre un couple d'esclaves qui vit en parfaite harmonie et en parfaite égalité avec leurs maîtres.

Mais à aucun moment les « bons maîtres », dans ce cas Mme de la Tour et Marguerite, ne remettent en question[1] le fait d'avoir acheté des esclaves...

Ce n'est qu'en 1848 que la France abolit[2] l'esclavage.

---

1. Remettre en question : soumettre à une discussion pour savoir si quelque chose doit continuer d'exister ou non.
2. Abolir : supprimer, faire que quelque chose n'existe plus.

Les mots ou expressions suivis d'un astérisque* dans le texte sont expliqués dans le Vocabulaire, page 55.

À L'OUEST DE LA MONTAGNE qui s'élève derrière Port-Louis[1], on peut voir deux petites cabanes[2] en ruine[3].

Je me promène souvent dans cet endroit où tout est paisible : l'air, les eaux et la lumière...

Un jour, où j'étais assis devant ces cabanes, un homme âgé s'est approché de moi. Il marchait les pieds nus et s'appuyait sur un bâton. Ses cheveux étaient tout blancs et son visage était plein de douceur. Je l'ai salué avec respect et lui ai demandé :

– Pouvez-vous me dire à qui ont appartenu ces deux cabanes ?

– Deux familles ont habité ici, il y a environ vingt ans. Elles étaient pauvres, mais elles ont vécu heureuses pendant de nombreuses années. Je vais vous raconter leur histoire.

---

1. Port-Louis : capitale de l'île de France (aujourd'hui île Maurice).
2. Cabane : petite maison, généralement en bois, pas très bien construite.
3. En ruine : à moitié détruit.

En 1726, un jeune homme de Normandie, appelé M. de la Tour, est venu s'installer sur cette île pour chercher fortune. Il était accompagné de sa jeune femme qu'il aimait beaucoup et qu'il avait épousée en secret, parce que les parents de la jeune fille n'approuvaient[1] pas ce mariage. Malheureusement, peu après leur arrivée, ce jeune homme est mort, et sa femme est restée seule et enceinte[2]; elle ne possédait qu'une esclave noire, et vivait dans un pays où elle ne connaissait personne. Comme c'était une femme courageuse, elle a décidé de cultiver avec son esclave un petit morceau de terre, et elle a choisi de s'installer dans cet endroit sauvage et désert.

Dans ce même endroit, et depuis un an, vivait une jeune femme qui s'appelait Marguerite. Elle était née en Bretagne, dans une famille de paysans. Un gentilhomme[3] qui avait promis de l'épouser, l'avait laissée enceinte avant de l'abandonner. La pauvre femme avait quitté pour tou-

1. Approuver : accepter.
2. Enceinte : qui attend un enfant.
3. Gentilhomme : homme qui appartient à la noblesse.

jours le village où elle était née, pour aller cacher sa faute loin de chez elle, dans une colonie française. Un vieil esclave noir, qu'elle avait acheté avec le peu d'argent qu'elle possédait, cultivait avec elle quelques terres.

Lorsqu'elle est arrivée sur cette terre, suivie de son esclave, Mme de la Tour a trouvé Marguerite qui allaitait[1] son enfant, le petit Paul. Mme de la Tour a été très contente de rencontrer une jeune femme qui se trouvait dans une situation semblable à la sienne, et elle lui a raconté sa triste histoire. Marguerite, très émue, lui a avoué qu'elle avait eu un enfant sans être mariée et qu'elle était venue vivre dans cette île pour cacher sa faute.

– J'ai mérité ce qui m'arrive, Madame, car j'ai commis une grande faute ; mais vous, vous ne méritez pas d'être malheureuse...

Et Marguerite lui a offert en pleurant de vivre avec elle dans sa cabane.

Mme de la Tour a été très émue et a serré Marguerite entre ses bras en lui disant :

– Je trouve en vous, qui ne me connaissez pas, plus de bonté que dans ma famille, et je vous remercie de votre accueil.

Les deux femmes sont devenues très amies et ont décidé de vivre ensemble. Je les ai aidées à

---

1. Allaiter : donner le lait.

partager les terres et à construire deux cases[1], une pour chacune.

Puis Mme de la Tour a accouché[2] d'une fille. Elle a demandé à son amie de choisir le prénom du bébé et celle-ci l'a appelée Virginie.

– Votre fille sera vertueuse[3] et elle sera heureuse, a-t-elle dit à son amie lorsque l'enfant est née. Moi, j'ai été malheureuse parce que je n'ai pas été vertueuse.

J'étais le parrain du petit Paul et Mme de la Tour m'a demandé d'être celui de la petite Virginie.

L'esclave de Marguerite s'appelait Domingue. C'était un Noir du Sénégal, très fort, qui cultivait les terres de Marguerite et de Mme de la Tour avec intelligence et sans faire de différences entre les deux femmes : il semait[4] du maïs* dans les terres médiocres[5], un peu de froment* dans celles qui étaient bonnes, du riz* dans les marécages[6], dans les lieux secs des patates*, des cotonniers* sur les hauteurs, des cannes à sucre* dans les terres fortes, du café* sur les collines, des bananiers* le long de la rivière et enfin un

---

1. Case : maison simple.
2. Accoucher : donner naissance à un bébé.
3. Vertueux : qui obéit à une loi morale, définie par la religion et la société.
4. Semer : mettre dans la terre des graines qui deviendront plus tard des plantes ou des arbres.
5. Médiocre : qui n'est pas de bonne qualité.
6. Marécage : terrain rempli d'eau.

*L'enfance de Paul et Virginie.*

peu de tabac*. Il travaillait avec zèle[1] et servait sa maîtresse avec affection. Après la naissance de Virginie, il avait épousé l'esclave de Mme de la Tour, Marie, et il aimait passionnément sa femme. Cette esclave, qui était née à Madagascar, faisait des paniers et des tissus avec des herbes qui poussaient dans les bois. Elle était très adroite. Elle élevait aussi quelques poules et, de temps en temps, elle allait les vendre à Port-Louis.

Quant aux deux amies, elles travaillaient elles aussi du matin au soir. Elles étaient habillées très simplement et ne portaient de chaussures que pour aller le dimanche matin à la messe, à l'église des Pamplemousses. Elles allaient rarement à la ville : elles avaient peur d'être méprisées[2] parce qu'elles étaient habillées avec une robe en grosse toile bleue, comme les esclaves.

Unies par un passé semblable et par le même présent, elles s'appelaient l'une l'autre « mon amie » ou « ma sœur ». Elles élevaient ensemble leurs deux enfants. Elles les aimaient de la même façon, sans faire de différence entre eux, et s'occupaient aussi bien de l'un que de l'autre.

– Mon amie, disait Mme de la Tour, chacune de nous aura deux enfants, et chacun de nos enfants aura deux mères.

---

1. Zèle : ardeur.
2. Mépriser : considérer comme indigne.

Elles prenaient plaisir à les mettre ensemble dans le même bain, à les coucher dans le même lit. Et elles parlaient même de leur futur mariage.

***

Les deux enfants grandissaient ensemble et s'aimaient beaucoup. Si Paul pleurait et se plaignait de quelque chose, Marguerite appelait Virginie ; en la voyant, il souriait et devenait plus calme. Si Virginie souffrait, on le savait aussitôt en entendant les cris de Paul ; mais bien vite, Virginie dissimulait[1] son mal car la peine de Paul lui faisait encore plus mal.

Ils étaient toujours ensemble et même la nuit ne pouvait pas les séparer : on les trouvait souvent couchés dans le même lit, joue contre joue, endormis dans les bras l'un de l'autre.

Virginie aidait Marguerite et Mme de la Tour à faire le ménage des deux cabanes et à préparer les repas. Dès le lever du soleil, elle se levait, allait chercher de l'eau dans une source[2] voisine et rentrait à la maison pour préparer le déjeuner. Tout de suite après, Marguerite et son fils allaient chez Mme de la Tour et ils prenaient tous ensemble le premier repas de la journée.

---

1. Dissimuler : cacher.
2. Source : endroit où l'eau sort de la terre.

Paul aidait Domingue à cultiver des fruits et des légumes et il rapportait toujours une belle fleur ou un beau fruit à Virginie.

Ces deux enfants ne pensaient qu'à se faire plaisir l'un à l'autre, qu'à s'aider.

Ils ne savaient ni lire ni écrire, et seul l'endroit où ils vivaient les intéressait. Ils ne savaient pas qu'il ne faut pas voler car, pour eux, tout était commun et ce qui appartenait à l'un appartenait aussi à l'autre. Ils n'étaient pas menteurs car ils n'avaient rien à cacher.

Ils étaient tous les deux très beaux et grandissaient sans problème. Virginie avait douze ans, de longs cheveux blonds et de grands yeux bleus. Elle souriait tout le temps. Paul était plus grand que Virginie et il avait de grands yeux noirs.

Mme de la Tour se sentait inquiète en voyant grandir sa fille et elle se disait quelquefois :

– Si je meurs, que va devenir Virginie, sans fortune, sans famille ?

Mme de la Tour avait une tante en France, une vieille femme riche et célibataire, qui avait refusé de l'aider lorsqu'elle avait épousé M. de la Tour. Elle s'était bien promis de ne jamais plus lui demander son aide, mais maintenant qu'elle était mère, elle n'avait plus honte de s'adresser à elle. Elle avait donc écrit à sa tante pour lui apprendre la mort de son mari, la naissance de sa fille et la situation dans laquelle elle se trouvait, loin de son pays, sans argent, sans rien. Elle n'avait jamais reçu de réponse mais elle continuait de lui écrire pour lui parler de Virginie.

– Nous n'avons pas besoin de famille, lui disait Marguerite lorsque Mme de la Tour écrivait à sa tante. Dieu ne nous a pas abandonnées. Est-ce que nous ne sommes pas heureuses, maintenant ? Regardez ! Le bonheur est autour de nous.

***

Un dimanche matin, alors que Marguerite et Mme de la Tour étaient à la messe, à l'église des Pamplemousses, une Noire marronne s'est présentée sous les bananiers qui entouraient les cabanes. Elle était très maigre et n'avait pour tout vêtement qu'un morceau de chiffon[1] qui ne couvrait pas tout son corps. Elle s'est jetée aux pieds de Virginie, qui préparait le déjeuner de la famille, et lui a dit :

– Ma jeune demoiselle, ayez pitié d'une pauvre esclave fugitive[2]. Il y a un mois que je me suis enfuie et que je cours dans ces montagnes, à demi morte de faim. Les chasseurs et leurs chiens me poursuivent jour et nuit.

Je fuis[3] mon maître, un riche habitant de la Rivière-Noire. Regardez comme il m'a traitée ; il m'a donné tellement de coups de fouet[4] que mon corps est couvert de cicatrices[5]. Je voulais me noyer[6] dans la rivière mais on m'a parlé de votre

---

1. Chiffon : morceau de vieux tissu.
2. Fugitif : qui s'est enfui.
3. Fuir : partir rapidement pour échapper à quelqu'un qui veut nous faire du mal.
4. Fouet : instrument formé d'une corde mise au bout d'un morceau de bois, et qui sert à frapper un animal. Les esclaves, qui étaient traités comme des bêtes, recevaient souvent des coups de fouet.
5. Cicatrice : marque laissée par une blessure.
6. Se noyer : mourir dans l'eau.

bon cœur et je viens vous demander de m'aider.

Virginie, tout émue, lui a donné à manger et l'a consolée.

– Pauvre femme ! Je vais aller demander grâce[1] à votre maître. Voulez-vous me conduire chez lui ?

Virginie a appelé son frère et il les a accompagnées.

L'esclave les a conduits à travers des bois et des montagnes. Vers le milieu du jour, ils sont arrivés sur les bords de la Rivière-Noire. Ils ont aperçu une grande et belle maison, des plantations* immenses et un grand nombre d'esclaves qui travaillaient. Leur maître se promenait au milieu d'eux, une pipe à la bouche et un rotin[2] à la main. C'était un homme grand et maigre, aux sourcils noirs. Virginie, tenant Paul par le bras, s'est approchée de lui en tremblant.

– Je viens vous demander, pour l'amour de Dieu, de pardonner à votre esclave, qui est derrière nous.

L'homme, troublé[3] par la beauté de Virginie et par sa douce voix, a enlevé sa pipe de sa bouche, lancé quelques jurons[4] et dit qu'il pardonnait à son esclave, non pas pour l'amour de Dieu mais pour l'amour de Virginie. Effrayée, Virginie a fait

---

1. Demander grâce : demander le pardon.
2. Rotin : tige d'un palmier qui peut servir de fouet.
3. Troublé : ému.
4. Juron : mot grossier.

signe à l'esclave de s'avancer vers son maître puis elle s'est enfuie aussitôt, suivie de Paul.

Ils ont marché pendant plusieurs heures, sans s'arrêter et presque sans parler. Virginie était fatiguée et, depuis le matin, ils n'avaient rien mangé.

– Ma sœur, il est plus de midi ; tu as faim et soif, lui a dit Paul lorsqu'ils ont été loin de la plantation. Buvons un peu d'eau à cette source ; nous trouverons sûrement près d'elle quelques herbes que nous pourrons manger.

Paul a allumé un feu et ils se sont reposés un peu. Puis ils se sont remis en route. Mais ils ne connaissaient pas cette région et n'ont pas pris les bons chemins.

– Mon frère, la nuit tombe. Je suis très fatiguée et je ne peux plus marcher ; toi, tu as encore des forces. Laisse-moi ici et retourne à notre case pour tranquilliser[1] nos mères.

– Oh ! non ; je ne te quitterai pas. Assieds-toi sous cet arbre, moi, pendant ce temps, je chercherai le chemin qui nous conduira auprès de nos mères.

Mais il n'a pas trouvé le bon chemin.

Pensant qu'un chasseur pouvait l'entendre, Paul a crié de toutes ses forces :

– Venez, venez au secours de Virginie !

---

1. Tranquilliser : calmer.

*– Mon frère, je suis très fatiguée et je ne peux plus marcher.*

Mais personne n'a répondu à ses cris.

– Virginie, il est tard et nous sommes trop fatigués pour continuer à marcher. Nous allons passer la nuit ici. Je vais te préparer un lit de feuilles et essayer de faire du feu.

Paul était triste et il s'est mis à pleurer.

– Ne pleure pas, mon frère. C'est à cause de moi que tu es triste et que nos mères sont inquiètes. J'ai voulu partir rapidement, sans attendre leur retour, sans rien leur dire, et ce n'est pas bien.

Et Virginie s'est mise elle aussi à pleurer.

– Prions Dieu, mon frère ; il nous entendra et viendra nous aider.

– Écoute, Virginie, j'entends un chien aboyer. C'est sûrement le chien d'un chasseur.

– Il me semble que c'est Fidèle, notre chien. Oui, c'est lui ; je reconnais sa voix.

Quelques minutes plus tard, Fidèle était à leurs pieds. Il aboyait et gémissait à la fois. Domingue l'accompagnait et pleurait de joie.

– Ô mes jeunes maîtres, vos mères ont été bien inquiètes lorsqu'elles sont revenues de la messe et qu'elles ne vous ont pas vus. J'ai pris vos vieux habits, je les ai fait flairer[1] à Fidèle et il a suivi le même chemin que vous. Il m'a conduit d'abord jusqu'à la Rivière-Noire. Là, j'ai appris

---

1. Flairer : sentir (pour un chien).

par le maître que vous lui aviez ramené une esclave marronne et qu'il vous avait accordé sa grâce. Mais quelle grâce ! Il m'a montré l'esclave, attachée à un billot[1] de bois, avec une chaîne au pied et un collier de fer au cou. Puis Fidèle m'a conduit jusqu'ici.

– Oh ! Qu'il est difficile d'aider quelqu'un ! a soupiré Virginie. Je voulais aider cette pauvre esclave et maintenant, à cause de moi, elle est encore plus malheureuse.

– Mangez, mes enfants, leur a dit Domingue : voici des gâteaux, des fruits et des boissons que vos mères ont préparés pour vous. Prenez des forces car il faudra marcher pendant plusieurs heures.

Mais Paul et Virginie ne pouvaient plus marcher ; leurs pieds étaient enflés[2] et tout rouges.

Domingue ne savait pas s'il devait laisser les enfants seuls avec Fidèle pendant qu'il allait chercher de l'aide ou s'il devait passer la nuit avec eux et attendre l'arrivée de quelqu'un.

– Où est le temps où je pouvais vous porter tous les deux à la fois, mes enfants ? Maintenant vous êtes grands et je suis vieux...

À ce moment, un groupe de Noirs marrons s'est approché d'eux.

---

1. Billot : morceau de bois gros et court dont la partie supérieure est plate.
2. Enflé : qui a augmenté de volume.

– Bons petits Blancs, a dit leur chef, n'ayez pas peur ; nous vous avons vus passer ce matin avec une esclave de la Rivière-Noire ; vous alliez demander sa grâce à son mauvais maître. Pour vous remercier de cela, nous vous porterons sur nos épaules jusque chez vous.

– Tu vois, Paul, a dit Virginie, Dieu récompense[1] toujours les bonnes actions.

Au milieu de la nuit, le petit groupe est arrivé près des deux cases. Mme de la Tour, Marguerite et la vieille Marie sont sorties avec des torches[2].

– Est-ce vous, mes enfants ?

– Oui, c'est nous, a répondu Virginie. Nous sommes allés à la Rivière-Noire demander la grâce d'une pauvre esclave marronne, et nous nous sommes perdus en revenant.

Les deux mères ont serré Paul et Virginie sur leur cœur, puis elles ont donné à manger aux Noirs marrons et les ont remerciés d'avoir ramené leurs enfants.

---

1. Récompenser : donner un cadeau à une personne pour la remercier d'avoir rendu un service.
2. Torche : morceau de bois auquel on met le feu et qui sert à éclairer.

PAUL, À DOUZE ANS, était plus fort et plus intelligent que la majorité des Européens à quinze. Il travaillait avec autant de zèle que Domingue et les arbres qu'il avait plantés devant les cabanes donnaient de beaux fruits. Chaque jour qui passait était pour ces deux familles un jour de bonheur et de paix.

Leur conversation était douce et innocente. Paul parlait souvent des travaux du jour et de ceux du lendemain, de ce qu'il plantait avec Domingue. De temps en temps, Mme de la Tour lisait à haute voix une histoire touchante[1] de l'Ancien ou du Nouveau Testament[2].

Pendant la saison des pluies, ils passaient leurs journées ensemble dans la case, maîtres et esclaves occupés à faire des paniers et des tapis d'herbes sèches. Et quand il faisait beau, ils allaient tous les dimanches à la messe. Puis à la sortie de la messe, ils rendaient visite aux

---

1. Touchant : qui fait naître une émotion.
2. Testament : livre saint (dans la religion catholique). Il y a l'Ancien Testament et le Nouveau Testament.

malades. Virginie revenait souvent de ces visites les yeux pleins de larmes, mais le cœur rempli de joie.

Il y avait dans l'année des jours qui étaient pour Paul et Virginie des jours de plus grandes réjouissances[1] : c'étaient les fêtes de leurs mères. La veille, Virginie préparait des gâteaux que Paul portait lui-même à des familles pauvres. Et le jour de la fête, ils dansaient tous ensemble et riaient.

***

Paul et Virginie grandissaient. Quand on demandait à Virginie son âge et celui de Paul, elle répondait :

– Mon frère a le même âge que le grand cocotier* de la fontaine, et moi celui du plus petit.

Leur vie semblait attachée à celle de la nature.

Quelquefois, lorsque Paul était seul avec Virginie, il lui disait :

– Lorsque je suis fatigué, ta vue[2] me délasse[3]. Lorsque je suis dans la montagne et que je t'aperçois dans la campagne, j'ai l'impression que tu es une fleur. Et si soudain je ne te vois plus, quelque chose de toi reste dans l'air où tu es passée, sur l'herbe où tu t'es assise, et je sais où tu es. Le bleu

---

1. Réjouissances : fêtes.
2. Vue : le fait de voir quelqu'un.
3. Délasser : reposer.

du ciel est moins beau que le bleu de tes yeux, le chant des oiseaux moins doux que le son de ta voix. Si je te touche seulement du bout du doigt, tout mon corps frémit[1] de plaisir. Tiens, ma bien-aimée, prends cette branche fleurie de citronnier* que j'ai cueillie pour toi dans la forêt ; tu la mettras près de ton lit.

Virginie lui répondait :

– Ô mon frère ! Les rayons du soleil au matin me donnent moins de joie que ta présence. J'aime bien ma mère, j'aime bien la tienne ; mais quand elles t'appellent « mon fils », je les aime encore davantage. Les caresses qu'elles te font sont plus douces pour moi que celles que je reçois. Tout ce qui a été ensemble s'aime, Paul. Regarde les oiseaux ! Élevés dans le même nid, ils sont toujours ensemble et s'aiment comme nous. Écoute comme ils s'appellent et se répondent d'un arbre à l'autre... Nous sommes comme eux : lorsque tu pars dans la montagne pour me chercher des fleurs et que je t'entends jouer de la flûte, je te réponds en chantant. Ah, mon frère, j'aime beaucoup ma mère, j'aime beaucoup la tienne, mais je t'aime encore davantage.

***

---

1. Frémir : trembler.

Cependant, depuis quelque temps, Virginie se sentait bouleversée[1]. Ses beaux yeux bleus devenaient quelquefois obscurs et elle ne souriait plus comme avant. On la voyait tout à coup gaie sans joie, puis triste sans chagrin. Elle ne recherchait plus comme avant la compagnie de sa mère et de Marguerite. Elle devenait solitaire, cherchait partout le repos et ne le trouvait nulle part.

Quelquefois, en voyant Paul, elle courait vers lui, puis tout à coup, elle devenait toute rouge et s'arrêtait. Paul lui disait:

– La nature est belle, les oiseaux chantent quand ils te voient ; tout est gai autour de toi, toi seule es triste. Laisse-moi te consoler et t'embrasser.

Mais les caresses de son frère la bouleversaient. La nuit, elle se levait, s'asseyait puis se recouchait ; elle ne trouvait pas le sommeil ni le repos. Elle pensait à Paul et soupirait. Plusieurs fois, elle avait voulu raconter ses peines à sa mère, parler de son amour pour Paul et de son trouble, mais elle ne pouvait pas parler.

Mme de la Tour comprenait bien le mal dont souffrait sa fille, mais elle n'osait pas lui en parler...

***

---

1. Bouleverser : causer une émotion violente, un grand trouble.

C'était la fin de décembre. De longs tourbillons[1] de poussière s'élevaient sur les chemins. L'herbe était brûlée par le soleil et les ruisseaux étaient desséchés[2]. L'air était étouffant[3] et la nuit n'apportait aucun vent frais.

Puis un jour, des pluies épouvantables sont tombées du ciel, détruisant tout sur leur passage : les beaux arbres que Paul avait plantés devant les cabanes, les nids des oiseaux, une petite fontaine qu'il avait construite pour Virginie...

Puis le beau temps est revenu. Virginie a voulu sortir pour voir le beau jardin que Paul cultivait avec amour.

– Oh, Paul ! mon cher Paul, j'ai beaucoup de chagrin. Tu avais de beaux oiseaux, l'ouragan[4] les a tués. Tu avais planté ce jardin avec amour, il est détruit. Tout meurt sur la terre. Seul le ciel ne change pas.

– J'aimerais te donner quelque chose pour te faire oublier ta peine, Virginie. Mais je ne possède rien.

– Tu as le portrait de saint Paul, lui a répondu Virginie en rougissant...

Ce portrait, Marguerite l'avait longtemps porté suspendu à son cou ; devenue mère, elle l'avait

---

1. Tourbillon : masse d'air qui tourne rapidement.
2. Desséché : rendu sec.
3. Étouffant : qui empêche de respirer.
4. Ouragan : vent très violent, accompagné de pluies très fortes.

mis à celui de son enfant.

– Tiens, ma sœur, je te le donne.

– Mon frère, je le porterai tant que je vivrai et je n'oublierai jamais que tu m'as donné la seule chose que tu possèdes au monde.

Paul a voulu embrasser Virginie, mais elle s'est enfuie, légère comme un oiseau.

***

– Pourquoi ne marions-nous pas nos enfants ? disait souvent Marguerite à Mme de la Tour. Ils s'aiment beaucoup, même si mon fils ne le sait pas encore.

– Ils sont trop jeunes et trop pauvres, lui répondait Mme de la Tour. Ton esclave est vieux, sa femme aussi. Moi-même, chère amie, je ne suis plus très jeune. Que deviendraient Paul et Virginie sans esclaves pour les aider à cultiver les terres ? J'ai beaucoup pensé à tout cela, ces dernières semaines. Nous devrions envoyer Paul en Inde pendant quelques mois. Il emportera du coton et du bois : cela se vend bien en Inde. Avec cet argent, il pourra acheter quelques esclaves et, à son retour, nous le marierons avec Virginie, car je crois que personne ne pourra rendre ma fille plus heureuse que ton fils.

Un jour, Mme de la Tour a reçu une lettre de sa tante. La vieille dame venait d'être très malade et, ayant peur de mourir seule, elle demandait à sa nièce de lui envoyer Virginie.

« Je lui donnerai une bonne éducation, un mari riche et tous mes biens. » disait-elle dans sa lettre.

Mme de la Tour a lu la lettre à haute voix. Domingue et Marie se sont mis à pleurer. Paul et Virginie sont restés immobiles et n'ont rien dit.

Le lendemain, au lever du soleil, comme ils venaient de faire tous ensemble la prière du matin, avant le déjeuner, le gouverneur* de l'île est arrivé. Il était à cheval et deux esclaves le suivaient. Il est entré dans la case. Les deux familles étaient à table et Virginie venait de servir, comme c'était l'habitude dans l'île, du café et du riz cuit à l'eau. Elle avait ajouté des patates chaudes et des bananes fraîches. Le gouverneur a paru étonné de la pauvreté de la pièce et de la simplicité du déjeuner. Puis il s'est adressé[1] tout de suite à Mme de la Tour.

1. S'adresser à quelqu'un : parler à quelqu'un.

– Vous avez, madame, une tante très riche qui vit à Paris et qui veut donner toute sa fortune à votre fille, qui est si jeune et si belle. Votre fille doit partir à Paris. Vous ne pouvez pas la priver[1] d'une succession[2] aussi importante. Voici, de la part de votre tante, un sac de piastres[3] qui doit servir aux préparatifs du voyage de votre fille. Elle m'a demandé d'utiliser tout mon pouvoir et toute mon autorité pour vous obliger à envoyer votre fille. Un bateau va bientôt partir pour la France et votre tante a réservé[4] une place pour elle.

– Je ne désire que le bonheur de ma fille, monsieur, et elle décidera elle-même si elle veut partir ou non.

***

Mme de la Tour était contente de trouver une occasion de séparer pour quelque temps Virginie et Paul. Elle a emmené sa fille dans le jardin et elle a essayé de lui expliquer pourquoi elle devait accepter de partir en France.

---

1. Priver quelqu'un de quelque chose : empêcher quelqu'un de profiter d'un bien.
2. Succession : transmission à une personne des biens d'une personne morte.
3. Piastre : pièce de monnaie.
4. Réserver une place : acheter une place à l'avance.

Elle voyait bien qu'ils s'aimaient mais elle les trouvait trop jeunes pour se marier.

– Virginie, ma chère fille, écoute-moi. Domingue et Marie sont vieux. Paul est très jeune. Marguerite et moi ne sommes pas en très bonne santé. Si je meurs, que vas-tu devenir ? Tu dois partir. Je veux seulement te rendre heureuse et te marier un jour avec Paul. Si tu es riche, il sera riche lui aussi. Pense à lui !

Virginie ne comprenait pas pourquoi sa mère voulait la séparer de ceux qu'elle aimait.

– Nous n'avons pas besoin de richesses. Vous nous avez appris à travailler et, grâce au travail, nous avons tout ce que nous désirons. Je ne veux pas vous quitter et partir loin de vous.

Le soir, comme elle était seule avec Virginie, un homme vêtu d'une soutane[1] bleue est entré dans la case : c'était le confesseur[2] et le directeur de conscience[3] de Mme de la Tour. Il était envoyé par le gouverneur de l'île.

– Jeune demoiselle, a-t-il dit en entrant, vous êtes riche, maintenant ! Vous devez partir ! Pensez qu'avec cet argent vous pourrez aider beaucoup de familles pauvres. Il faut vous

---

1. Soutane : longue robe d'un prêtre.
2. Confesseur : dans la religion catholique, prêtre qui écoute quelqu'un avouer ses mauvaises actions pour obtenir le pardon de Dieu.
3. Directeur de conscience : dans la religion catholique, prêtre qui conseille une personne en ce qui concerne la morale et la religion.

dévouer[1] pour elles et pour le bien de votre famille. C'est un grand sacrifice mais c'est l'ordre de Dieu.

– Si c'est l'ordre de Dieu, a répondu Virginie en tremblant, je partirai.

***

Les jours suivants, Mme de la Tour a commencé à préparer le voyage de sa fille. Elle lui a acheté quelques robes et quelques objets dont elle aurait besoin à Paris.

La tristesse de Paul augmentait de jour en jour et sa mère ne savait pas comment le consoler[2].

– Je vais te raconter le secret de ta vie et de la mienne, lui a-t-elle dit un jour. La famille de Mme de la Tour, et donc de Virginie, est noble et très riche. Toi, tu n'es que le fils d'une pauvre paysanne, et pire encore, tu es un bâtard[3]. Lorsque j'étais encore une jeune fille, j'ai aimé un gentilhomme qui m'a ensuite abandonnée ; et tu es né. J'ai eu tellement honte que j'ai quitté mon pays et mes parents. Par ma faute, tu n'as pas de père ni de famille.

– Oh, ma mère ! Puisque vous êtes ma seule

---

1. Se dévouer : faire un sacrifice ; accepter de faire quelque chose qui ne plaît pas pour le bien d'une autre personne.
2. Consoler : faire oublier la tristesse et la peine.
3. Bâtard : enfant dont on ne sait pas qui est le père.

famille, je vous aimerai encore davantage. Je comprends maintenant pourquoi Mlle de la Tour s'éloigne de moi...

***

C'était l'heure du souper. Tout le monde était à table mais personne ne mangeait et personne ne parlait. À la fin du repas, Virginie est sortie dans le jardin et s'est assise sous le grand cocotier. Paul l'a suivie et s'est assis à côté d'elle. Il faisait une nuit très douce et aucun des deux n'osait parler.

Paul a été le premier à rompre le silence[1].

– Mademoiselle, vous partez, me dit-on, dans trois jours. Vous...

– Je dois obéir à ma famille.

– Vous nous quittez pour aller chez une vieille tante que vous n'avez jamais vue.

– Hélas ! a répondu Virginie, je voulais rester ici toute ma vie, mais ma mère n'a pas voulu et son directeur de conscience m'a dit que c'était la volonté de Dieu.

– Quoi, lui a répondu Paul, vous avez eu plusieurs raisons pour partir et aucune pour rester ! Vous m'aimez donc bien peu ! Ou alors l'idée de devenir riche vous fait oublier que vous êtes heu-

1. Rompre le silence : faire cesser le silence en parlant.

reuse ici. Vous trouverez bientôt en France quelqu'un que vous appellerez « mon frère », quelqu'un qui ne sera pas un bâtard comme moi, et qui pourra vous offrir un nom et une fortune que je n'ai pas.

– Paul tu es méchant. Tu sais bien que ce n'est pas vrai !

– Comment vivrez-vous sans les caresses de votre mère, Virginie ? Que deviendra-t-elle lorsqu'elle ne vous verra plus chaque jour ? Que deviendra la mienne qui vous aime autant qu'elle ? Que leur dirai-je quand je les verrai pleurer ? Et moi, que deviendrai-je quand, le matin, je ne vous verrai pas avec nous et que la nuit viendra sans nous réunir ; quand j'apercevrai ces deux cocotiers plantés à notre naissance et si longtemps témoins de notre amitié ?

– C'est pour toi que je pars, Paul, pour toi qui dois travailler si durement pour nous nourrir. Je veux devenir riche pour te rendre mille fois le bien que tu nous as fait. Paul, Paul, je t'aime beaucoup plus qu'un frère !

À ce moment, Paul l'a prise dans ses bras et, la serrant contre son cœur, il lui a dit:

– Je partirai avec toi, Virginie.

Mme de la Tour et Marguerite, qui étaient sorties devant la cabane, ont entendu les derniers mots de Paul et ont couru vers eux.

– Mon fils, lui a dit Mme de la Tour, qu'allons-

*– Je partirai avec toi, Virginie.*

nous devenir si tu pars toi aussi ? Paul s'est tourné vers elle et lui a dit d'une voix tremblante :

– Comment pouvez-vous séparer le frère de sa sœur ? Vous nous avez élevés tous les deux sur vos genoux, vous nous avez appris à nous aimer, et maintenant vous éloignez Virginie de moi ! Vous l'envoyez en Europe, dans ce pays qui a refusé de vous aider, dans une famille qui vous a abandonnée... Pourquoi ?

***

Le lendemain matin, Marie, montée sur un rocher, regardait la mer.

– Où est Virginie ? a crié Paul.

La vieille esclave a tourné la tête vers son jeune maître et s'est mise à pleurer.

Paul a couru vers le port et il a appris que Virginie était partie au lever du jour. Le bateau était déjà loin et on ne le voyait plus.

***

Les jours suivants, Paul a été d'une grande tristesse. Il allait dans tous les endroits qu'aimait Virginie. Il disait à ses chèvres :

– Vous ne reverrez plus celle qui vous donnait à manger dans sa main.

Voyant Fidèle, qui semblait chercher Virginie

lui aussi, il lui disait en pleurant :

– Tu ne la verras plus jamais, mon pauvre Fidèle.

Mme de la Tour essayait de consoler Paul. Elle l'appelait « mon fils », « mon cher fils », « mon gendre[1] » ; elle lui parlait du retour de Virginie, de leur futur mariage...

***

Pour pouvoir correspondre[2] avec Virginie, Paul a voulu apprendre à lire et à écrire. Puis il a voulu apprendre la géographie et l'histoire pour mieux connaître ce pays dans lequel vivait maintenant sa bien-aimée.

---

1. Gendre : pour un père ou une mère, le mari de leur fille.
2. Correspondre : écrire des lettres à quelqu'un et recevoir des lettres de cette personne.

LE TEMPS A PASSÉ – plus d'un an et demi –, lorsque enfin une lettre de Virginie est arrivée, accompagnée d'un paquet.

*« Très chère maman,*

*« Je vous ai écrit plusieurs lettres mais, comme je n'ai pas reçu de réponse, je pense que vous ne les avez pas reçues. J'ai beaucoup pleuré depuis notre séparation.*

*« Lorsque je suis arrivée à Paris, ma grand-tante*[1] *a été bien surprise en apprenant que je ne savais ni lire ni écrire.*

*« Elle m'a demandé ce que je faisais pendant toute la journée avec vous et, lorsque je lui ai dit que je m'occupais du ménage de la cabane,*

1. Grand-tante : la tante de la mère de Virginie.

*elle a été très étonnée et m'a dit que j'avais reçu l'éducation d'une servante.*

*« Elle m'a mise en pension*[1] *dans une grande abbaye*[2] *près de Paris. C'est une grande maison grise et triste. Mes différents professeurs m'ont appris à lire et à écrire, et m'ont enseigné l'histoire, la géographie, la grammaire et la mathématique.*

*« Ma grand-tante m'a donné le titre de comtesse*[3] *et m'a fait abandonner le nom de mon père, ce nom que j'aimais autant que vous l'aimez. Je ne porte plus le nom de " de la Tour ", mais celui de votre famille, qui était votre nom de jeune fille*[4].

*« Ma grand-tante vient me rendre visite de temps en temps, ainsi qu'un de ses amis, un vieux gentilhomme qui m'aime beaucoup,*

---

1. Mettre en pension : mettre dans une école où l'élève reste aussi pour manger et pour dormir.
2. Abbaye : grande maison où vivent des religieux.
3. Comtesse : titre de noblesse.
4. Nom de jeune fille : en France, lorsqu'une jeune fille se marie, elle perd son nom de famille – celui de ses parents – et prend celui de son mari.

*me dit-elle, mais que je n'aime pas du tout.*

*« Je vous envoie plusieurs paires de bas, pour vous et maman Marguerite, un bonnet pour Domingue et un de mes mouchoirs pour Marie.*

*« Je vous envoie aussi des graines*[1] *de toutes sortes d'arbres que j'ai prises dans le parc de l'abbaye. J'ai ajouté des semences*[2] *de violettes et de marguerites que j'ai ramassées dans les champs. Il y a dans les prés de ce pays de belles fleurs, plus belles que dans notre île, mais personne ne les cueille.*

*« Personne ici ne me parle de vous et je ne peux parler à personne. " Mademoiselle, souvenez-vous que vous êtes française ; vous devez oublier ce pays de sauvages où vous avez vécu avant de venir ici. " me dit ma grand-tante lorsque je lui parle de notre île.*

*« Mais pour moi, c'est la France*

1. Graine : partie d'une plante qui assure sa reproduction.
2. Semence : graine qu'on met dans la terre et qui donnera une nouvelle plante.

*qui est un pays de sauvages car je suis seule ici.*

*« Caressez notre chien Fidèle pour moi.*

*«Je vous embrasse,*

*« Votre fille,*

*« Virginie de la Tour »*

Mme de la Tour a lu la lettre à haute voix et a donné les graines à Paul.

Paul était très triste car Virginie ne parlait pas de lui dans sa lettre.

– Elle m'a oublié, elle ne m'aime plus...

Mais en regardant la petite bourse[1] dans laquelle les graines étaient enfermées, il s'est senti l'homme le plus heureux du monde : sur cette bourse, Virginie avait brodé avec ses cheveux un P et un V entrelacés[2].

– Elle m'aime et elle pense à moi ! Comme je suis heureux !

Paul a écrit une longue lettre à Virginie puis il a semé avec amour les graines qu'elle lui avait envoyées.

---

1. Bourse : petit sac dans lequel on garde quelque chose qui a de la valeur.
2. Entrelacer : passer l'un autour de l'autre.

***

Paul était inquiet. Les gens qui voyageaient sur le bateau qui avait apporté la lettre de Virginie disaient que la jeune fille allait se marier ; et ils donnaient le nom du vieux gentilhomme qui allait l'épouser. D'autres disaient qu'elle était déjà mariée et qu'ils avaient assisté au mariage...

***

Six mois ont passé. Plusieurs bateaux sont arrivés de France mais aucun n'a apporté de lettre de Virginie.

Paul venait me voir très souvent et me racontait sa peine.

– Je suis bien triste, me disait-il. Virginie est partie depuis plus de deux ans et elle a envoyé une seule lettre. Elle est riche et je suis pauvre. Elle m'a sûrement oublié et elle a sûrement épousé ce riche gentilhomme dont tout le monde parle.

Et il se mettait à pleurer.

D'autres fois, il pensait qu'elle n'avait pas écrit parce qu'elle allait revenir et alors il devenait content. Il parlait de ce qu'il allait faire pour la recevoir, de la cabane qu'il allait construire et dans laquelle ils allaient vivre tous les deux, quand elle serait sa femme. Et cette idée le rendait heureux.

Mais la tristesse revenait bien vite. Je ne savais pas comment le consoler.

– Lisez, Paul. Un bon livre est un bon ami.

Mais Paul me répondait :

– Je n'avais pas besoin de lire quand Virginie était ici. Je ne savais pas lire, elle non plus ; mais quand elle me regardait en m'appelant “ mon ami ”, mon chagrin disparaissait.

UN MATIN, AU LEVER DU JOUR (c'était le 24 décembre 1744, je m'en souviendrai toute ma vie), Paul a appris qu'un navire[1] s'approchait de l'île et il a couru vers le port pour savoir s'il apportait des nouvelles de Virginie.

Le bateau s'appelait le *Saint-Géran* et il venait de France...

Le commandant[2] du *Saint-Géran* a envoyé un matelot[3] dans une barque pour annoncer son arrivée au gouverneur de l'île.

– Nous arriverons dans le port demain dans l'après-midi, si le vent est favorable.

Le matelot a apporté aussi le courrier et il y avait une lettre de Virginie pour Mme de la Tour. Paul l'a prise, l'a portée à ses lèvres puis a couru la donner à sa destinataire[4]. Tout le monde s'est rassemblé autour de Mme de la Tour pour savoir ce que disait la lettre.

1. Navire : bateau destiné au transport sur mer.
2. Commandant : officier qui commande sur un navire.
3. Matelot : marin qui travaille sur un navire.
4. Destinataire : personne à qui on envoie quelque chose.

*« Ma chère Maman,*

...

*« Ma grand-tante a voulu me marier à ce vieux gentilhomme dont je vous ai parlé dans une lettre et, comme j'ai refusé de l'épouser, elle m'a déshéritée*[1]*. Je reviens donc chez nous, près de ceux que j'aime et qui m'aiment ; je ne pense qu'à vous revoir et à vous embrasser.*

...

*« Votre fille,*

*« Virginie »*

– Virginie est sur le navire qui arrive ! s'est écriée toute la famille.

Domingue et Marie ont pleuré de joie et ont embrassé Marguerite et Mme de la Tour.

Paul est venu me dire que Virginie était sur le bateau qui arrivait et nous sommes allés tous les deux à Port-Louis.

Nous n'étions pas encore arrivés quand j'ai entendu quelqu'un marcher derrière nous. C'était un esclave.

– On m'envoie au port pour avertir le gouverneur que le *Saint-Géran* demande du secours ;

---

1. Déshériter : priver quelqu'un d'un bien dont il devait hériter.

la mer est très agitée[1] et il ne peut pas arriver jusqu'au port.

Il faisait une chaleur étouffante et le ciel devenait de plus en plus noir. Les vagues, immenses et blanches, faisaient un bruit épouvantable en se brisant[2] sur les rochers.

Près du port, plusieurs habitants de l'île se sont rassemblés autour d'un grand feu. L'un d'eux a raconté que la mer était si mauvaise qu'on n'avait pu envoyer aucun bateau au secours du *Saint-Géran* et que celui-ci était en grand danger.

Nous avons passé toute la nuit avec eux. Vers sept heures du matin, le gouverneur est arrivé, suivi d'un groupe de soldats, d'un grand nombre d'habitants et d'esclaves. Un habitant est venu vers nous et nous a dit :

– Toute la nuit, on a entendu des bruits sourds[3] dans la montagne ; dans les bois, les feuilles des arbres remuaient et pourtant il n'y avait pas de vent ; tout cela annonce l'arrivée d'un ouragan.

Les nuages étaient très noirs. L'air était rempli des cris des oiseaux qui fuyaient la mer et l'arrivée de l'ouragan.

Vers neuf heures du matin, on a entendu des

---

1. Agité : se dit de la mer lorsqu'elle n'est pas calme.
2. Se briser : se dit des vagues qui viennent frapper contre des rochers.
3. Sourd : se dit d'un bruit qui n'est pas sonore.

bruits épouvantables qui venaient de la mer. Un tourbillon de vent a fait disparaître la brume[1] qui couvrait l'île et nous avons pu voir le *Saint-Géran*. Tous les passagers et tous les matelots étaient sur le pont[2].

La mer était tellement agitée que le *Saint-Géran* ne pouvait ni arriver jusqu'au port, ni repartir en arrière. Le bateau se balançait dangereusement et plusieurs passagers se sont jetés à l'eau pour sauver leur vie. Paul a poussé un cri de douleur et s'est jeté dans la mer pour aller au secours de Virginie.

– Je la sauverai ou je mourrai avec elle ! s'est-il écrié.

On a vu alors une jeune demoiselle sur le pont du bateau, tendant les bras vers celui qui nageait pour la rejoindre. C'était Virginie. Elle avait reconnu Paul.

Tous les matelots se sont jetés à la mer. Un seul est resté sur le bateau. Il était tout nu. Il s'est approché de Virginie avec respect, s'est jeté à genoux devant elle et a essayé de lui enlever ses longs vêtements, qui l'empêcheraient de nager ; mais, sans le regarder, elle l'a repoussé avec dignité[3]. Elle nous a fait un signe de la

---

1. Brume : concentration de fines gouttes d'eau qui forment un nuage qui empêche de voir.
2. Pont : surface qui unit les deux côtés d'un navire.
3. Dignité : respect qu'on doit à une personne ou à une chose.

*Virginie sur le pont du bateau.*

main, comme pour nous dire adieu.

On a entendu des cris des gens qui s'adressaient au matelot qui était à côté d'elle :

– Sauvez-la ! Ne l'abandonnez pas !

Nous étions remplis de douleur. À ce moment, une montagne d'eau s'est avancée vers le navire. Le matelot s'est jeté dans la mer, seul. Virginie, voyant la mort qui allait l'emporter, a posé une main sur ses vêtements, l'autre sur son cœur et a levé les yeux au ciel. Puis elle a disparu dans la mer avec le bateau.

– Cette digne demoiselle n'a pas voulu se déshabiller, nous a raconté plus tard le matelot qui avait essayé de la sauver. Elle a préféré mourir...

Domingue et moi nous avons retiré de la mer le malheureux Paul qui perdait du sang par la bouche et par les oreilles et nous l'avons amené chez un médecin.

Puis nous sommes revenus au bord de la mer, et nous avons trouvé le corps de Virginie sur le rivage[1]. Ses yeux étaient fermés et son visage était paisible. Une de ses mains était sur ses habits, et l'autre, qu'elle appuyait sur son cœur, était refermée sur le portrait que lui avait donné Paul. Nous avons porté son corps dans une cabane de pêcheurs car nous ne voulions pas que sa mère la voie couverte de sable.

---

1. Rivage : morceau de terre qui est au bord de la mer.

***

Pendant ce temps, Mme de la Tour et Marguerite attendaient en priant des nouvelles du navire.

– Où est ma fille ? m'a demandé Mme de la Tour lorsque je suis arrivé chez elle.

Seuls mon silence et mes larmes ont pu lui répondre. Elle a compris tout de suite qu'il était arrivé quelque chose de grave et elle s'est évanouie.

– Où est mon fils ? Je ne le vois pas, a demandé Marguerite en pleurant.

Je lui ai dit qu'il était vivant et qu'elle allait bientôt le voir.

Le matin suivant, on a ramené Paul. Il avait repris connaissance mais il était incapable de parler.

Marguerite et Mme de la Tour se sont assises près de lui et l'ont embrassé.

Le gouverneur m'a fait dire que le corps de Virginie avait été lavé et amené à l'église des Pamplemousses et qu'on pouvait maintenant aller la voir avant de l'enterrer.

Le corps de Virginie était couvert de fleurs et tous les habitants de Port-Louis sont venus la voir une dernière fois. Tout le monde pleurait.

Le lendemain, le gouverneur est allé voir Mme de la Tour. Il a essayé de la consoler.

– Lorsque j'ai insisté pour que vous envoyiez Virginie chez sa tante, je voulais seulement votre bonheur et celui de votre fille.

Puis, se tournant vers Paul, il a ajouté :

– Partez en France, jeune homme. Je vous aiderai à trouver un travail et, pendant votre absence, je m'occuperai de votre mère et de Mme de la Tour.

Tout en disant cela, il a voulu prendre la main de Paul, pour lui montrer son amitié, mais Paul a tourné la tête et mis ses mains dans ses poches.

***

Paul allait mieux de jour en jour mais son chagrin augmentait. Son regard était très triste et il ne répondait rien à toutes les questions qu'on lui posait.

– Mon fils, tant que je vous verrai, je croirai voir ma chère Virginie, disait souvent Mme de la Tour à Paul.

À ce nom de Virginie, Paul s'éloignait. Il partait dans le jardin qu'aimait beaucoup Virginie et il s'asseyait au pied du petit cocotier. Là, il pensait à son amie et pleurait en disant :

– Puisque Virginie est morte, je veux la rejoindre et mourir moi aussi.

J'essayais de le raisonner[1], mais c'était difficile.

---

1. Raisonner : ramener quelqu'un à la raison, à la sagesse.

Un jour, je lui ai montré le petit portrait qu'il avait donné à Virginie et je lui ai dit que son amie était morte en le serrant contre son cœur. Il a pris ce portrait et l'a embrassé avec passion. Alors je lui ai dit :

– Vous avez perdu la plus douce des amies, celle qui allait être votre femme. Elle avait renoncé[1] pour vous à une vie facile, pleine de plaisirs, et avait préféré votre amour à la fortune. Virginie n'est plus là, mais il reste les personnes qu'elle a le plus aimées après vous : sa mère et la vôtre. Votre douleur les fera mourir de chagrin.

Je l'ai ramené chez lui. Mme de la Tour et Marguerite pleuraient en silence.

– Mon bon voisin, m'a dit Marguerite, cette nuit j'ai vu Virginie, tout habillée de blanc. Elle se promenait dans un jardin magnifique et elle m'a dit qu'elle était très heureuse. Puis elle s'est approchée de Paul en riant et elle l'a emmené avec elle dans le ciel. Comme je voulais retenir mon fils, j'ai senti que je quittais moi aussi la terre et que je le suivais avec plaisir. J'ai voulu dire au revoir à mon amie et j'ai vu qu'elle nous suivait avec Marie et Domingue. Mais ce qui est encore plus étrange, c'est que Mme de la Tour a fait cette nuit le même rêve.

– Mon amie, lui ai-je répondu, je crois que les

1. Renoncer : abandonner un droit qu'on a sur quelque chose.

rêves annoncent quelquefois la vérité.

En effet, leur rêve s'est bientôt réalisé. Paul est mort deux mois après sa chère Virginie, dont il prononçait sans cesse le nom ; Marguerite huit jours après son fils ; Domingue et Marie quelques jours après Marguerite.

Mme de la Tour a consolé[1] Paul et Marguerite jusqu'au dernier moment. Après leur mort, elle m'a parlé d'eux tous les jours, jusqu'à sa propre mort, qui a eu lieu un mois plus tard.

---

1. Consoler quelqu'un : faire oublier son chagrin, sa peine à quelqu'un.

## Les plantations

**Bananier** : arbre qui donne des bananes (fruit long avec une peau jaune épaisse).

**Café** : petite graine qui, en infusion, fournit une boisson excitante.

**Canne à sucre** : plante avec laquelle on fait du sucre.

**Citronnier** : arbre qui donne des citrons (fruits jaunes et acides).

**Cotonnier** : petit arbre qui donne du coton.

**Cocotier** : arbre des régions tropicales dont le fruit est la noix de coco.

**Froment** : blé.

**Maïs** : céréale.

**Patate** : plante cultivée dans les régions chaudes, qui ressemble un peu à la pomme de terre et qui est sucrée.

**Plantation** : propriété agricole dans une colonie.

**Riz** : céréale. Les Chinois mangent beaucoup de riz.

**Tabac** : plante dont on fume les feuilles.

# Le monde des colonies

**Colonie française** : territoire français situé loin de la France. Au XVIIIe siècle, l'île de France, située près de Madagascar, était une colonie française.

**Esclavage** : condition de l'esclave.

**Esclave** : personne qui a été achetée par un propriétaire pour travailler toute sa vie pour lui. Les esclaves n'étaient pas libres, ils appartenaient, ainsi que leurs enfants, à leurs maîtres.

**Gouverneur** : au XVIIIe siècle, représentant du roi dans une colonie.

**Marron** : esclave qui s'est enfui de chez son maître pour vivre en liberté.

## Chapitre I

**1.** Pourquoi Mme de la Tour a-t-elle épousé M. de la Tour en secret ?

**2.** Où est née Marguerite ? Pourquoi est-elle partie de France ?

**3.** Pourquoi les deux femmes ont-elles décidé de vivre ensemble ?

**4.** Comment s'appellent leurs enfants ?

**5.** Qui sont Domingue et Marie ?

**6.** Que cultive Domingue ? Est-ce qu'il travaille avec zèle ?

## Chapitre II

**1.** Où vit la tante de Mme de la Tour ? Est-ce qu'elle est riche ? Pourquoi Mme de la Tour lui écrit-elle régulièrement ?

**2.** Pourquoi l'esclave marronne va-t-elle voir Virginie ? Que fait Virginie pour l'aider ?

**3.** Qu'arrive-t-il à Paul et à Virginie lorsqu'ils repartent de la plantation de la Rivière-Noire ?

**4.** Avec l'aide de qui Domingue retrouve-t-il Paul et Virginie ?

**5.** Est-ce que le maître de l'esclave marronne a réellement pardonné à son esclave ?

**6.** Pourquoi et comment un groupe de Noirs marrons aide-t-il Domingue à ramener Paul et Virginie auprès de leurs mères ?

## Chapitre III

**1.** Que répond Virginie quand on lui demande son âge ?

**2.** Que font Paul et Virginie le jour des fêtes de leurs mères ?

**3.** Est-ce que Paul et Virginie s'aiment ?

**4.** À quelle occasion Paul donne-t-il à Virginie un portrait de saint Paul ?

**5.** Est-ce que Virginie est émue de recevoir ce cadeau ? Que dit-elle à Paul ?

**6.** Pourquoi est-ce que Mme de la Tour ne veut pas marier encore Paul et Virginie ?

## Chapitre IV

**1.** De qui est la lettre que reçoit Mme de la Tour ? Que dit la lettre ?

**2.** Que dit le gouverneur à Mme de la Tour ?

**3.** Pourquoi Mme de la Tour est contente de séparer Paul et Virginie ?

**4.** Que dit-elle à Virginie pour la convaincre de partir ?

**5.** Pourquoi Marguerite raconte-t-elle à Paul le secret de sa vie ? Quel est ce secret ?

**6.** Que fait Paul les jours qui suivent le départ de Virginie ? Pourquoi apprend-il à lire et à écrire ?

## Chapitre V

**1.** Quels cadeaux envoie Virginie ? Pour qui sont-ils ?

**2.** Est-ce que Virginie parle de Paul dans sa première lettre ?

**3.** Pourquoi, en recevant les graines, Paul se sent-il l'homme le plus heureux du monde ?

**4.** Que disent les gens qui ont voyagé sur le bateau qui a apporté la lettre de Virginie ?

**5.** Est-ce que Virginie écrit d'autres lettres les mois suivants ?

**6.** Pourquoi Paul est-il triste ?

## Chapitre VI

**1.** Quelle nouvelle apprend Paul le 24 décembre 1744 ?

**2.** Est-ce que Virginie voyage sur le bateau ? Pourquoi est-ce qu'elle revient ?

**3.** Pourquoi est-ce que le *Saint-Géran* ne peut pas arriver jusqu'au port ?

**4.** Pourquoi le marin veut-il que Virginie enlève ses longs vêtements ?

**5.** Que serrait Virginie contre son cœur lorsqu'elle est morte ?

**6.** Quel rêve fait Marguerite ? Est-ce qu'il se réalise ?

**Édition** : Martine Ollivier

**Couverture** : Michèle Rougé
**Illustration de couverture** : *Passage du torrent*. Dessin original de Girodet. Paris (1806) / BN.
**Coordination artistique** : Catherine Tasseau

**Illustrations de l'intérieur** :
Page 3 : portrait de Bernardin de Saint-Pierre. Dessin original de Girodet. Paris (1806)/ BN.
P. 10/11 : *L'enfance de Paul et Virginie* (XIXe siècle). Musée des Arts africains et océaniens. Paris. © Lauros Giraudon.
P. 19 : photo Pierre Pitrou.
P. 31 : *Paul et Virginie. Le retour de la promenade* (XIXe siècle). Musée des Arts africains et océaniens. Paris. © Lauros Giraudon.
P. 36 : *Les adieux*. Dessin de J.M. Moreau jeune. Paris (1806). / BN.
P. 49 : *Naufrage de Virginie*. Dessin de P.P. Prudhon. Paris (1806). / BN.
**Recherche iconographique** : Gaëlle Mary

**Réalisation PAO** : Marie Linard

N° de projet 10160076 - Mai 2009

Imprimé en France par l'Imprimerie France Quercy - 46090 Mercuès
N° d'Impression : 90627a